Quelle histoire ! Quelle histoire ! Quelle histoire ! Quelle histoire !

Quelle histoire ! Quelle histoire !

histoire ! Quelle histoire !

Quelle histoire ! Quelle histoire ! Quelle histoire !

le histoire ! Quelle histoire ! Quelle histoire

! Quelle histoire ! Quelle histoire ! Qu

elle histoire ! Quelle histoire ! Quelle hist

toire ! Quelle histoire ! Quelle histoire !

Quelle histoire ! Quelle histoire ! Quelle

histoire ! Quelle histoire ! Quelle histoire !

Quelle histoire ! Quelle histoire ! Quell

Collection

Quelle histoire !

© 1986 éditions du Sorbier
tous droits de traduction,
de reproduction et d'adaptation
réservés pour tous pays

ISBN 2-7320-3095-3

Imprimerie Hérissey — N° 39947 — D.L. 2ᵉ trimestre 1986 — *Imprimé en France*

MADELEINE GILARD

Ascenseur interdit

Illustrations de Sylvie Chrétien

Editions du Sorbier
51, rue Barrault
75013 Paris

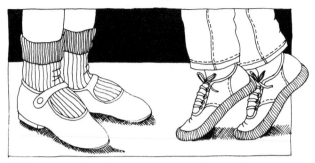

Céline et Lucien entrent dans l'ascenseur.

— Soulève-moi, que je pousse le bouton, dit Lucien.

— Il faut attendre quelqu'un, répond Céline.

— Pourquoi ?

Lucien prend tous les jours l'ascenseur avec Céline. Il pose toujours la même question.

— Parce qu'il y a écrit : *Interdit aux enfants non accompagnés*, répond Céline.

— Si on avait Kim avec nous, on serait accompagnés.

— Ça ne compte pas. Il faut une grande personne, pas un chien.

— Pourquoi une grande personne ?

— On croit que les grandes personnes sont plus raisonnables que les enfants, dit Céline.

Arrive une grande personne. Une dame avec un cabas, des tas de petits paquets et un sac avec une petite fenêtre percée de trous.

— Un chat dans un sac ! s'écrie Lucien.

— N'y touche pas ! dit la dame.

— Je voulais pas y toucher, répond Lucien, vexé.

— Mia-aou, fait le chat.

La dame demande sévèrement :

— Vous ne savez pas lire ? Vous ne voyez pas que l'ascenseur est interdit aux enfants non accompagnés ?

— Si, on sait lire. Justement, on attendait quelqu'un, dit Céline.

— Hum ! fait la dame. A quel étage allez-vous ?

— C'est le bouton 14 ! crie Lucien. Céline, tu me soulèves que je le pousse.

— Ah non ! dit la dame. Tu veux causer un accident !... Voyons, je vais chez Christophe... au deuxième étage.

Elle pousse un bouton.

— Oh ! mais... fait Céline.

L'ascenseur est en route. Il s'arrête, la porte s'ouvre — et on voit un grand endroit tout noir.

— Qu'est-ce que ça veut dire ? crie la dame. A quoi avez-vous touché ?

— Nous, à rien, dit Céline, mais vous n'avez pas poussé le bon bouton. On est au deuxième sous-sol, pas au deuxième étage.

La dame examine la rangée de boutons et gémit :

— On n'y comprend rien ! Qu'est-ce que c'est : 0 et — 1 et — 2 ? C'est fou !

— Zéro, c'est le rez-de-chaussée, et moins 1, c'est le premier sous-sol et moins 2 le deuxième sous-sol. Allez, on repart !

Céline, vaillamment, écarte le bras de la dame et presse d'abord le bouton n° 2, puis le bouton n° 14.

— Je ne vais pas au 14ᵉ étage ! crie la dame.

— L'ascenseur s'arrêtera d'abord au deuxième.

La dame est très agitée. Elle laisse tomber un paquet. Céline veut le ramasser. La dame crie : « N'y touche pas, c'est fragile ! » Et elle laisse tomber un second paquet.

— Si vous mettiez vos petits paquets dans votre cabas ? suggère Céline.

— Tu n'as pas de conseils à me donner ! dit la dame qui laisse tomber le sac à chat.

— Miaou-maraniaou ! dit le chat.

Soudain, l'ascenseur fait un petit bond. La lumière s'éteint. On est dans le noir.

— Qu'est-ce que vous avez fait ? crie la dame. Nous allons avoir un accident mortel !

Lucien cherche la main de sa sœur.

— On va pas mourir ? chuchote-t-il.

— Bien sûr que non, répond Céline d'une voix un peu tremblante. Madame, vous n'avez pas des allumettes ? On pourrait voir où est le bouton de secours.

— Des allumettes ! Tu veux provoquer une explosion de gaz !

— Mais l'ascenseur marche à l'électricité. Il n'y a pas de gaz.

— On ne sait jamais, fait la dame qui s'assied par terre au milieu de ses paquets.

— Lucien, tu as ta petite torche dans ton cartable ? demande Céline.

La lueur de la petite torche permet de repérer le bouton SOS. Céline appuie dessus. Une sonnerie retentit.

La dame pousse un cri. Le chat fait des miaou-miaou épouvantés. La torche s'éteint. Lucien essaie de tapoter le sac dans le noir. Les minutes passent. On entend soupirer la dame et miauler le chat. Et, soudain, des coups sont frappés contre la paroi de l'ascenseur.

— Céline ! Lucien !

C'est la voix de maman.

— N'ayez pas peur. La gardienne a reçu l'appel, elle téléphone au dépannage d'urgence. Il y a quelqu'un avec vous ?

— Beu... oui, dit Céline. Elle va au deuxième.

— On n'a pas peur ! crie Lucien. Je console un chat.

Soudain, la lumière revient, l'ascenseur sautille et se remet en marche. Il s'arrête et la porte s'ouvre. On voit maman sur le palier du deuxième avec Kim, le chien, tout frétillant.

— Où suis-je ? gémit la dame en étendant les bras comme si elle était toujours dans le noir.

— Au deuxième, dit maman. Attendez, je vous donne un coup de main.

Elle aide la dame à sortir de l'ascenseur. Kim, croyant voir une nouvelle amie, se dresse sur ses pattes de derrière et lui lèche la figure. La dame pousse des cris perçants et se précipite dans l'escalier.

— Kim, assis ! crie maman.

— Madame, vos paquets ! crie Céline.

— Et le chat ! crie Lucien qui ramasse
le sac et le serre sur son cœur.

Une porte s'ouvre au fond du palier,
un garçon apparaît.

— J'ai entendu ma tante Aglaé ! Tante
Aglaé, où vas-tu ?

Il fonce dans l'escalier et ramène la
dame qui tient à peine sur ses jambes
et murmure : « Christophe, j'ai eu très
peur ! »

Christophe regarde maman qui ouvre les mains d'un air de dire qu'elle ne comprend pas plus que lui. Puis, il emmène sa tante en lui disant des mots rassurants.

— Et les paquets... dit Céline.

— Nous prenons soin des paquets et du chat ! crie maman dans la direction de Christophe. Venez les chercher au 14ᵉ étage, porte droite.

L'ascenseur s'envole avec mère, enfants, chat et paquets et arrive sans incident au 14ᵉ étage où papa se demande ce qui se passe.

Lucien ouvre le sac du chat qui se met à inspecter l'appartement. Il flaire délicatement chaque meuble, prenant son temps. Lucien est enthousiasmé. On se met à table.

On raconte l'histoire.

— Une autre fois, dit papa, si vous voyez cette dame, conseillez-lui d'appeler son neveu par l'interphone.

— Moi, dit Lucien qui enfourne dans sa bouche un énorme morceau de gâteau au chocolat, moi quand che cherai grand, ch'inventerai une machine machique.

— Finis ce que tu as dans la bouche, Lucien.

Lucien avale tout rond et continue :

— La machine magique, on la mettrait sur l'ascenseur et les personnes parleraient dedans comme dans l'interphone. La machine saurait si les personnes sont raisonnables. Et alors, elle dirait : « Entrez » et la porte serait ouverte.

— Et si la machine trouve les personnes pas raisonnables ? demande maman.

— Alors, la machine dira : « L'ascenseur est interdit aux personnes pas raisonnables non accompagnées. »

Tout le monde rit. Même Kim. Le chat saute sur les genoux de Lucien. On sonne à la porte. C'est Christophe qui vient chercher les paquets de sa tante Aglaé. Il explique :

— Elle s'est affolée, vous comprenez. Elle a peur des chiens.

— Elle a aussi peur des ascenseurs, murmure Céline.

— Chut ! fait maman.

Christophe a entendu et il dit :

— Oui, elle a peur des ascenseurs. Elle habite un pavillon en banlieue, elle n'a pas l'habitude. Mais elle est gentille.

Elle a trouvé un chat perdu et bien qu'elle ait peur des chats —

— ... des chats aussi ! s'écrient Céline et Lucien.

— ... bien qu'elle ait peur des chats, elle l'a recueilli et soigné et elle a voulu me l'apporter. Je suis très ennuyé. Je sors tôt le matin, je rentre tard le soir, ce chat s'ennuiera... Il a l'air de bien se plaire chez vous... Vous... vous n'en voudriez pas ?

Papa et maman se regardent. Lucien et Céline regardent papa et maman. On pourrait presque lire au-dessus de leur tête, comme dans une bulle, les mots : « Oh papa ! oh maman ! gardons ce si gentil chat ! »

— Prenez toujours les paquets, dit maman.

— Ah oui, c'est notre dîner que tante Aglaé apportait. Le dessert doit être un peu aplati.

— Vous voulez du gâteau au chocolat ? propose Céline. Il en reste tout plein. Pendant qu'on prépare une assiette de gâteau, le chat quitte les genoux de Lucien, traverse la table la queue en l'air et saute sur l'épaule de papa. Il lui lèche l'oreille.

— Il me chatouille ! crie papa.

Au fond il est flatté.

— Alors, vous le gardez, dit Christophe en partant. Voyez comme il vous est déjà attaché. Et même votre chien a l'air de l'apprécier.

Kim a mis les pattes sur le genou de papa et lève le museau en direction du chat.

Céline et Lucien sautent de joie. Kim pousse quelques jappements.

— Eh bien, dit papa, on est proprement refaits !

Mais il n'a pas l'air fâché.

— C'est très joli, dit maman, seulement, Céline et Lucien, vous promettez de vous occuper de ce chat, de lui donner à manger et de nettoyer son plat ?

Au moment de se coucher, on entend des hurlements dans la chambre des enfants.

— Lucien, pourquoi pleures-tu ?

— Bou-ou-ouh ! Céline dit que le chat doit coucher sur son lit.

— Oui, dit Céline, parce que je suis la plus grande et que je saurai le faire tenir tranquille. Lucien jouerait avec lui toute la nuit.

— Bou-ou-ouh, c'est pas juste !

— Le chat, dit maman, dormira dans la cuisine, comme Kim. Demain je lui achèterai une petite corbeille. Ce soir, il aura une bonne serviette éponge.

Et maman va se coucher après avoir installé le chat.

Quand papa a fini de promener le chien, de ranger la vaisselle et de se laver les dents, il entre dans la chambre à coucher et la première chose qu'il voit, c'est maman au lit et à côté d'elle, le chat.

— Ça alors, dit papa, vous avez, l'un et l'autre, du toupet !

— Écoute comme il ronronne, dit maman. Il restera de mon côté.

— Ah ! tu crois ça, dit papa en se couchant.

Il est à peine allongé que le chat passe par-dessus la poitrine de maman et vient se blottir contre papa, dans le creux de son cou.

A ce moment, on entend du bruit derrière la porte, des chuchotements, des crissements.

— Vous n'êtes pas endormis ! crie maman. Au lit tout de suite !
La porte s'ouvre, deux petits fantômes entrent suivis de Kim dont les ongles jouent des claquettes sur le parquet.

— On a voulu voir si le chat n'était pas malheureux et il n'était plus dans la cuisine... Oh !

Les enfants regardent les parents d'un air accusateur. Kim fait : Ouap ! Le chat ronronne de plus en plus fort.

— La machine de Lucien dirait que vous êtes pas raisonnables, déclare Céline.

— Qu'est-ce qu'on deviendra si elle nous défend de prendre l'ascenseur tout seuls ? demande papa.

— Vous appellerez vos enfants par l'interphone ! s'écrie Lucien, parce que c'est nous les plus raisonnables.

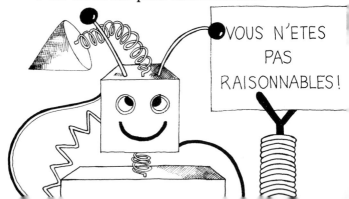

VOUS N'ETES PAS RAISONNABLES !

— Ah oui ? dit maman. Eh bien, que les gens raisonnables donnent l'exemple ! Allez tout de suite dormir, et elle éteint la lumière.

Les petits fantômes s'en vont sans rien dire, suivis du chien.

— Ouap ! fait Kim dans le couloir.

— Mrrrrr ! répond le chat sur l'oreiller.

Quelle histoire!